KB207381

남초 회사에서 살아남는 법

남초회사에서 살아남는 법

발　행 | 2024년 4월 7일
저　자 | 이지현
펴낸이 | 이지현
펴낸곳 | 이지식품
출판사등록 | 2024.01.03.(제327-2024-000001호)
주　소 | 부산시 동구 중앙대로 296번길 3-3 극동빌딩 504호
전　화 | 070-8065-7458
이메일 | maatmaat@naver.com

ISBN | 979-11-986-28220

www.veganbite.com

목 차

머리말 5

1장   남자는 어떤 본성을 가지고 있을까? 9

1. 타인을 돌보지 않는다…10   2. 힘이 세다…12

3. 언어적 능력이 떨어진다…13   4. 사고방식이 단순하다…14

5. 편을 가르지 않는다…16

2장   남초 회사의 불편한 점과 좋은 점 19

(불편한 점) 1. 신체적 여성성과 관련된 이야기는 하기 어렵다…20

2. 밥 먹는 속도를 따라가기가 어렵다…21

3. 회식 메뉴가 마음에 안든다…22

(좋은 점) 1. 화장실을 쾌적하게 쓸 수 있다…24   2. 여자라서 봐준다…25

3. 여자의 패션에 관심이 없다…25   4. 텃세가 없다…26

5. 내 사생활에 관심이 없다…27

3장   남자 동료 다루는 방법 29

1. 남자에 대한 환성을 버린다…30   2. 도와달라고 할 때만 도와준다…31

3. '고맙다', '미안하다'라는 말을 하지 않아도 서운해 하지 않는다…32

4. 요청을 할 때는 명확하게 한다…34

4장 남초 회사에서 살아남는 법 37

1 감정은 집에 놔두고 온다…38   2 힘든 일도 내가 나서서 한다…40
3 회사에 '아빠'는 없다는 것을 명심한다…41
4 보고할 때는 수치로 이야기 한다…42
5 동료에게 약점을 보이지 않는다…43
6 술을 잘 마시는 모습을 모이지 않는다…45   7 '서열'을 이해한다…46
8 여성성을 이용한다…48

5장 남초 회사에서 나의 가치를 높이는 특급 전략 51

1 다른 부서의 업무도 파악한다…52
2 나에게만 업무가 몰려도 억울해하지 않는다…53
3. 전화가 오면 '나에게 기회가 왔다'고 생각한다…54
4. 상대방의 말을 끝까지 듣고 대답한다…55
5. 무시 못하는 실력을 키운다…56
6. 선배들이 항상 지켜보고 있다는 것을 명심한다…57
7. 무조건 해보겠다고 한다…58
8. 대충 해야 하는 일과 제대로 해야 하는 일을 구별한다…59
9. 남의 탓을 하지 않는다…63
10. 회사를 인생의 정답으로 생각하지 않는다…65

맺음말 69
추천 도서 71

머리말

저는 공대를 나와서 2008년에 거제도에 있는 조선소에 입사했습니다. 고향을 떠나 회사 기숙사에 들어온 첫 날 잠 못 이루던 것이 어제 같은데 어느덧 15년이 흘렀습니다. 회사는 학교와 달라서 학년이 바뀌는 것도 아니고 시험이 있는 것도 아닙니다. 그래서 회사에서의 세월은 아무런 문턱에 걸리지 않고 조용하지만 빠르게 흘러갑니다.

조선소는 안정적인 직장이기 때문에 장기 근속하시는 분들이 많습니다. 그래서 '15년 근속'은 자랑거리도 못됩니다. 그래도 싫증을 잘 내는 제가 한 직장을 15년이나 다녔다니, 그리고 15년간 남초 회사를 다니면서 남자의 특징을 잘 알게 되어 이런 책까지 쓸 수 있게 되다니 여기서 버티길 잘 했다는 생각도 듭니다.

제가 입사했을 당시에는 공채 400여 명 중 60여 명이 여자였습니다. 공학 전공자만을 선발하는 설계 부서의 여성 비율은 더 작았습니다. 저희 부서에 배치된 신입사원 아홉 명 중 여자는 저 혼자 뿐 이었으니까요. 지금은 전체 신입사원의 절반 정도가 여자이고 설계부서 신입사원도 세 명 중 한 명은 여자입니다. 확실히 제가 입사했던 시점과 비교하면 지금은 여사원이 많아졌습니다. 하지만 여사원의 비율이 높아진 것은 최근의 일이므로 아직도 조선소에는 남자 직원이 훨씬 많습니다.

공대를 다니면서 남자들과 많이 부딪혀 보았기 때문에 남자에 대해서 잘 안다고 생각했지만 회사에서 남자 동료들을 대하는 것이 쉽지는 않았습니다. 화장실에 숨어서 울기도 많이 울었고 엄마에게 회사 가기 싫다고 하며 눈물바람을 하기도 했습니다. 지금 생각해보면 여자인 저의 기준으로 그들을 판단했기 때문에 힘들었던 것이었습니다. 15년간 남자 동료들을 대하면서, 그리고 취미로 심리학 공부를 하면서 남자와 여자는 타고난 기질부터가 다르다는 것을 알게 되었습니다. 그것을 알고 나서 남자들의 행동을 보니 그들의 행동이 이해가 되고 대응하기도 훨씬 쉬웠습니다.

이제 여러분들에게 제가 15년간 남초 회사인 조선소를 다니면서, 그리고 심리학 공부를 하면서 알게 된 '남초 회사에서 살아남는 방법'에 대해 모두 말씀드리려고 합니다. 이 책을 읽는 독자들은 눈물 흘리는 힘든 과정을 거치지 않고도 남초 회사에 잘 적응할 수 있기를 바랍니다. 지금 남초 회사에 입사를 앞두고 있는 사회 초년생들과 현재 남초 회사에 재직 중인 여성분들에게 이 책이 큰 도움이 될 것입니다. 특히 여중 · 여고를 거쳐 여대 또는 여초 학과 등 여초 사회에서 생활하다가 갑자기 남초 회사에 입사하게 된 여성분들은 이 책을 이용하여 편안한 직장 생활을 하실 수 있기를 바랍니다.

2024 년 4 월

남자와 여자가 조화롭게 사는 세상을 꿈꾸며

저자 이지현

책의 내용이나 회사 생활에 대한 문의 환영합니다 :)

maatmaat@naver.com
010-7791-3041
블로그 https://blog.naver.com/maatmaat
인스타그램 maatmaat__
크몽 전문가 채널 https://kmong.com/gig/539516

제1장

'남자'는 어떤 본성을 가지고 있을까?

☙☙☙☙☙♀

    어린아이들을 보면 참 신기합니다. 누가 가르쳐 주지 않았는데도 남자 아이들은 로봇을 가지고 온 집안을 돌아다니면서 놀고, 여자 아이들은 인형을 가지고 얌전히 앉아서 놉니다. 타고난 본성의 힘은 이렇게 무섭습니다. 본성은 사람의 행동을 조종하는 보이지 않는 힘입니다. 교육을 받고 사회화가 되었다고 해도 본성은 우리의 마음속에 숨어서 우리를 여전히 조종하고 있습니다.

남자와 여자는 본성이 다릅니다. 남자를 이해하기 위해서는 남자를 조종하는 본성부터 알아야 합니다. 남자와 여자는 겉모습도 다르지만 사고방식도 다릅니다. '왜 남자는 여자와 다르냐'고 묻는 것은 '왜 고양이는 '야옹'하고 우느냐'고 묻는 것과 같습니다. 그냥 이 지구상에 인간이 존재할 때부터 남자와 여자는 다른 겁니다. 여성과 남성이 평등하다고 하지만 근본적인 차이는 엄연히 존재하는 것입니다. 이 차이에 대해서 평가하기 보다는 어떤 점이 다른지를 알고 그것을 그대로 받아들인다면 남자의 행동을 이해할 수 있게 됩니다.

그럼 남자는 대체 어떤 본성을 타고났을까요?

1. 타인을 돌보지 않는다.

인류가 원시인이던 시절, 수렵활동을 하며 생계를 꾸려 나갈 때 여자보다 힘이 센 남자들이 사냥을 나갔습니다. 힘이 상대적으로 약한 여자는 동굴 안에서 아기를 돌보고 지켜야 했습니다. 이런 원시시대의 습성이 아직도 인간의 본성에 남아서 여자는 타인을 돌보는 성향을 가지지만 남자는 여자보다는 타인을 돌보는 성향이 약합니다. 이것은 이기적인 것과 다른 것입니다. 왜냐하면 이기적이라는 것은 타인을 손해보게 하고 자신의 이득을 챙기는 것이니까요. 자기사진의 신변을 보호한다고 해서 타인이 손해를 보지는 않습니다. 자기자신의 신변을 보호하려는 것이 오히려 생물의 본능에 가까운 것입니다. 애인이나 남편이 내 생일을 잊어서 다투었던 경험이 있을 것입니다. 하지만 애정이 식어서 그런 것이 아니라 타고난 성향 때문에 그렇다는 것을 이해하면 다툴 일이 없습니다.

남자에 대한 환상을 가진 여자들은 남자에게 보살핌을 받고 싶어 합니다. 원하는 보살핌을 받지 못해 애인이나 배우자에게 실망하는 여자들도 많죠. 그러나 누군가를 돌보는 것은 남자가 가진 본연의 성향이 아닙니다. 남자는 오히려 여자가 돌봐 줘야 하는 존재입니다.

너희들은 내가 지킨다!

2. 힘이 세다

열두 살 남자 어린이의 악력이 스무 살 여성의 악력과 비슷하다고 합니다. 여성의 근력이 고등학생 때 정점을 찍고 점점 떨어진다는 것을 감안하면 여성의 근력은 비슷한 또래의 남성을 절대 이길 수가 없다는 것을 알 수 있습니다. 따라서 여자가 남자를 힘으로 이기는 것은 여자 역도 선수 또는 여자 격투기 선수처럼 체력적인 훈련을 받지 않은 이상 불가능합니다. 아무리 나보다 왜소해 보이는 남자라도 말이죠. 남자는 성대 주변의 근육도 발달되어 있어 여자에 비해 목소리도 큽니다. 힘이 셀뿐만 아니라 목소리도 크기 때문에 남성은 여성에게 위협적으로 보이기가 쉽습니다. 하지만 겉모습만 그렇고 의외로 온순한 남자도 많으니 너무 겁을 먹지는 맙시다.

나도 이렇게 된다면?

3. 언어적 능력이 떨어진다

남자와 여자는 뇌의 구조가 다릅니다. 여자는 언어를 관장하는 중추가 모여있는 좌뇌가 발달되어 있습니다. 그에 비해 남자는 좌뇌보다는 분석능력을 관장하는 우뇌가 발달되어 있습니다. 그래서 여자는 남자를 힘으로는 이길 수 없지만 말로는 이길 수 있습니다.
(참고로 여자 뇌의 비대칭성은 남자보다 덜합니다. 이것이 남초 직장에는 여자가 더러 있지만 여초 직장에는 남자가 거의 없는 이유입니다.)

하지만 당신이 이기고 있다고 해서 기고만장하여 지나치게 말을 길게 이어 나가서는 안됩니다. 남자는 화가 나면 자신의 감정을 말로 설명하는 것이 더욱 어려워지므로 본능에 따라 행동하게 됩니다. 즉, 언어적 능력이 아닌 육체적 능력을 쓰게 됩니다. 이것은 폭력을 행사할 가능성도 있다는 것입니다. 따라서 남자가 당신의 말을 적당히 이해한 것 같으면 말하는 것을 멈춰야 합니다.

여기서 '이해했다'는 것은 꼭 '알겠어', '미안해' 등으로 말로 표현하는 것이 아니라는 것을 알아야 합니다. 남자는 언어적 능력이 부족하여 자신이 알아들었다는 것을 적절히 말로 표현하기가 어렵습니다. 또는 상대방의 말이 맞다는 것을 수긍하는 것을 자존심 상하는 일로 여기기도 합니다. 건성으로 '아, 알겠다니까' 정도로 표현을 해주는 것만으로도 참 고마운 일이라 생각해야 합니다. 반응이 없더라도 못들은 것이 아닙니다. 마음속으로 이해하고 있을 수도 있으므로 그냥 이해했을 거라 짐작하도록 합시다. 말을 멈추지 않아서 물리적 폭력을 당한다면 그것은 남자가 악한 탓보다는 말을 길게 한 당신의 탓이 더 큽니다.

4. 사고방식이 단순하다

앞서서 여자는 우뇌에 비해 좌뇌가 더 발달되어 있지만 그 비대칭성이 크지 않다고 했습니다. 그래서 여자의 머릿속에서는 좌뇌와 우뇌의 다툼이 일어납니다. 남자는 좌뇌보다 우뇌가 발달되어 있고 그 비대칭성이 상대적으로 큽니다. 그래서 남자의 사고에는 방향성이 뚜렷하며 다방면으로 사고하는 것이 어렵습니다. 또한 사고의 시간도 짧습니다. 그래서 여자는 남자가 '생각이 없고 단순하다'고 느껴지고, 남자는 여자가 '생각이 많고 인생 복잡하게 산다'고 느껴집니다.

남자는 사고방식이 단순하기 때문에 타인의 말을 있는 그대로 들으며, 타인의 말에 숨겨진 의도를 찾지 못합니다. 해외 출장 가는 남편에게 "돈 드니까 선물은 사오지 마세요."라고 했다가 진짜 아무것도 사오지 않아서 실망했던 경우가 있을 것입니다. 당신의 의도는 "돈 드니까 비싼 선물은 사오지 않아도 되지만 모처럼 해외까지 가니까 저렴한 것은 하나 사오세요."였을 것입니다. 하지만 남편은 "당신이 사오지 말라고 해서 안 사왔어."하며 돈도 아끼고 말도 잘 들은 자신을 칭찬해주길 바랄 겁니다. 이런 것이 다툼이 되곤 하죠. 하지만 서로의 습성을 안다면 이런 무의미한 다툼은 하지 않아도 됩니다.

또한 남자는 자신의 말이나 행동에 의도를 숨기는 것도 힘듭니다. 좋아하는 남자가 당신과 썸을 타는 줄 알았는데 알고 보니 다른 여자와 사귀고 있었던 것을 알고 실망했던 경우가 한 번 쯤은 있을 것입니다. 남자가 누군가를 좋아할 때는 자신의 의도를 숨기고 애매하게 돌려서 말하지 못합니다. 그냥 '좋아한다' 또는

'만나자'라고 합니다. 또는 긴장하여 말도 걸지 못합니다. 긴장된 감정을 숨기고 말하는 것을 하지 못하기 때문이죠. 당신에게 말도 걸고 친절하게 행동하는 남자가 있다면 당신을 대하는 것이 너무 편안하다는 뜻입니다. 즉, 당신을 이성으로 생각하지 않을 가능성이 더 큽니다.

남자의 말과 행동에 의미를 부여하는 것은 어리석은 짓입니다. 그냥 듣고 본 대로 이해하면 됩니다. 남자의 행동에 담긴 의미를 고민하느라 쓰는 수많은 시간을 좀 더 생산적인 일에 쓰길 바랍니다.

5. '편'을 가르지 않는다

인류가 원시시대에 수렵활동을 하며 생계를 꾸려 나갈 때 여자보다 힘이 센 남자들이 크고 사나운 동물을 사냥해야 했습니다. 그럴 때는 사람이 많이 모일수록 유리했습니다. 그러나 여자는 동굴 안에서 아기를 돌보고 지켜야 했습니다. 당연히 낯선 사람이 접근하는 것을 경계해야 했습니다.

이런 원시시대의 습성이 아직도 인간의 본성에 남아 있는 것 같습니다. 여자들은 소모임에서 자신들만의 비밀을 만들며 가족 이상으로 친밀하게 지내는 관계를 좋아하는 기질을 타고났습니다. 유치원생일 때부터 무리를 만들고 편을 가르며, 그런 습성은 할머니가 될 때까지 이어집니다. 내 편이 아닌 사람은 험담하며 내 편으로 들어오고 싶어 하는 사람에게는 어려운 부탁을 하는 등 내 나름대로 테스트합니다. 왜 내 편으로 들어오려고 하는지 그 의도를 파악하려고 하기 때문입니다.

그러나 남자는 편을 가르지 않습니다. 좀더 친한 친구가 있긴 하지만 특별히 무리를 짓지 않으며 그냥 옆에 있으면 같이 놉니다. 사고방식이 단순해서 타인의 의도를 파악하려는 시도를 하지 않기 때문입니다. 무리를 짓지 않고 다 같이 어울리는 습성은 군대에서 단체생활을 하면서 더욱 강화됩니다. 남초 회사는 따돌림을 당할 걱정이 없어서 좋습니다. 남자 동료들과 어울리고 싶으면 그냥 옆에 있으면 됩니다.

가끔 남자 동료들끼리만 회식을 하러 갈 때가 있습니다. 그것은 당신을 따돌리려 하는 것이 아니라 술을 많이 먹고 싶거나 편하게 술을 먹고 싶기 때문입니다. 아무래도 이성 앞에서는 말과 행동을 조심해야 할 수밖에 없으니까요. 남자들은 당신이 서운할 것을 예상하지 못합니다. 남자들의 단순한 사고방식의 특성상 타인의 상황까지 고려하여 행동을 취하는 것이 어렵습니다. 그냥 재밌게 놀 생각만 합니다. 그러므로 너무 서운하다고 생각하지 마시길 바랍니다. 아마 당신도 여자들끼리 어울려서 놀고 싶을 때가 있을 겁니다.

같이 가고 싶다면 다음부터는 나도 데려가라고 의사 표시를 하면 됩니다. 만약 남자 동료가 대답을 못하고 머뭇거린다면 곤란하다는 뜻입니다. 남자는 사고방식이 단순하여 거짓말을 잘 못하기 때문입니다. 그럴 땐 그냥 남자 동료들끼리 술자리를 가지도록 내버려 두면 됩니다. 그렇다고 해서 따돌림 받는 것이 아니므로 걱정하지 마세요.

편가르기와 관련하여 몇 년 전 제 남동생이 한 말에 저는 큰 깨달음을 얻었습니다.

"왜 여자들이 편을 가르는지 모르겠어. 조금만 잘해주면 다 내 편이 되는데."

참고로 남동생은 저보다 열 두 살이 어립니다.

제2장

남초 회사의 불편한 점과 좋은 점

☺☺☺☺☺우

　여자로서 남초 회사에 다니는 것은 불편한 점만 있을 거라 생각할 수 있습니다. 하지만 좋은 점도 분명 있습니다.

　불편한 점과 좋은 점을 정리해 보았습니다.

양날의 검과 같다고나 할까요?

남초 회사의 불편한 점

1. 신체적 여성성과 관련된 이야기는 하기 어렵다.

성별이 다르기 때문에 어쩔 수 없이 할 수 없는 이야기가 있습니다. 가슴, 생리 등 신체적인 여성성과 관련된 것이 그것이죠. 꼭 이야기해야 할 상황이 생기지는 않습니다. 다만 여성성과 관련된 이유 때문에 휴가를 사용하는 등 동료에게 보고할 필요가 있을 때가 있습니다. 그 때는 여성성과 상관없는 다른 신체부위로 바꿔서 이야기하는 등 돌려서 이야기하면 됩니다. 남자들은 타인의 일에는 별로 관심이 없으므로 돌려서 이야기한다고 해서 의심하거나 캐 묻지는 않습니다. 생리대가 갑자기 필요할 때는 여자 동료에게 사내 메신저나 문자로 물어보거나 만약의 상황을 대비해서 서랍에 몇 개 준비해 둡니다.

이거.. 있니?

2. 밥먹는 속도를 따라잡기가 어렵다.

 똑같이 이야기를 하면서 밥을 먹었는데도 남자 동료의 식사가 훨씬 먼저 끝나있습니다. 왜 그럴까요? 입안에 블랙홀이라도 있는 것일까요? 이것은 남녀의 신체조건 차이와 관련이 있습니다. 앞서서 남자와 여자는 태어날 때부터 신체조건도 다르다고 했습니다. 여자와 남자는 얼굴 골격도 다른 특징을 가지는데요, 얼굴의 크기가 같아도 남자는 여자보다 구강 안의 공간이 상대적으로 더 넓다고 합니다. 그래서 남자는 여자보다 밥을 더 많이 입안에 넣을 수가 있습니다. 그래서 특별히 빨리 먹지 않아도 식사 시간이 짧은 것이죠.
 구내식당에서 같이 밥을 먹을 때는 밥을 조금만 퍼와서 식사를 마치는 시간을 맞추거나 밥을 다 먹은 남자 동료들이 먼저 자리를 뜨도록 하면 됩니다. 식당에서 밥을 먹을 때는 계산을 해야 하기 때문에 다 같이 나가야 합니다. 남자 동료들이 숟가락을 놓고 하염없이 기다리게 하는 것은 민폐입니다. '천천히 먹으라'고 하는 말을 그대로 따라서는 안 됩니다. 외식을 할 때는 음식을 남기더라도 되도록 식사를 마치는 시점을 맞추도록 합니다.

뜨거울텐데... 빨리도 드시네요.

3. 회식 메뉴가 마음에 안든다.

　남자는 사고방식이 단순하기 때문에 밥을 먹을 때는 먹는 행위 자체에만 집중하고 음식의 맛이나 모양 같은 것은 별로 생각하지 않습니다. 그래서 여자들이 예쁜 카페에 가서 사진을 찍고 음식의 가치보다 훨씬 많은 돈을 지불하는 것을 이해하지 못합니다. 외식을 할 때 애인이나 남편과의 메뉴 합치를 이루지 못해 곤란했던 적이 있을 것입니다. 남자가 식사를 선택하는 기준은 '내 허기를 채울 수 있는가' 이것 하나인 반면 여자는 음식의 모양과 가게의 분위기 등 여러 가지가 선택의 기준이 되기 때문입니다. 어느 쪽이 더 좋다고 할 수는 없습니다. 그냥 여자와 남자는 각자 다른 사고방식을 타고난 것일 뿐이니까요.

남초 회사에서 회식 메뉴는 고깃집 아니면 횟집, 둘 중 하나입니다. '많은 인원을 수용할 수 있는 장소' 또는 '술을 많이 마실 수 있는 장소'에 초점을 맞춰서 메뉴를 선택하기 때문이죠. 마음에 안 들지만 회식 메뉴 투정을 하는 것도 성숙한 사회인이 하는 행동은 아닙니다. 좋아하는 음식은 친구들과 함께 먹도록 하고 회식은 그냥 따라가도록 합시다.

회식에서 이런거 먹고 싶다...

남초 회사의 좋은 점

1. 화장실을 쾌적하게 쓸 수 있다.

　　회사에 여자 화장실은 세 칸 밖에 없지만 항상 사람이 없습니다. 남자 화장실은 여덟 칸인데도 늘 붐빈다고 합니다. 거기다 술이 덜 깨서 화장실 한 칸을 차지하고 자고 있는 사람도 자주 있다고 합니다. 코고는 소리를 들으면 알 수 있다고 하네요. 여자 화장실에는 그런 사람은 없습니다. 남초 회사 여자 화장실은 내 집처럼 여유 있게 쓸 수 있고 사용하는 사람이 적으니 칫솔이나 화장품 같은 개인 사물도 비치해 둘 수 있어서 아주 편리합니다.

매우 쾌적하군요!

2. 여자라서 봐준다

여성과 남성이 평등한 사회라고 하지만 그래도 아직은 여자를 약자로 생각하는 통념이 있습니다. 남초 회사에서 여자 직원이 실수를 하면 남자 직원이 실수했을 때보다는 조금 덜 혼납니다. 또한 무거운 회사 비품을 옮기는 등 힘을 써야하는 일이 있으면 남자 동료들이 도와줍니다. 참 고마운 일입니다.

3. 여자의 패션에 관심이 없다.

혹시 요즘 남자들이 열광하는 유럽 챔피언스 리그의 선수가 누구인지 알고 있나요? 아마 모를 것입니다. 축구에 관심이 없기 때문이죠. 남자도 마찬가지입니다. 여자의 패션과 뷰티에는 관심이 없습니다. 그래서 남초 회사에는 옷을 좀 대충 입고가도 됩니다. 화장도 대충 해도 됩니다. 미용실에서 머리를 망쳐도 어차피 남자 동료들은 알아보지 못하기 때문에 너무 신경쓰지 않아도 됩니다. 그러나 갑자기 고객사와 회의를 하거나 외근을 해야 하는 상황이 발생할 수도 있으므로 전체적인 용모는 항상 단정히 하고 있어야 합니다. 나의 용모가 우리 회사 전체의 평가를 깎아먹을 수도 있기 때문입니다.

4. 텃세가 없다.

남자는 '내 편은 많을수록 좋다'고 생각합니다. 그래서인지 텃세를 부리지 않습니다. 입사한 첫 날부터 10년 알고 지낸 형 동생처럼 대합니다. 여자의 입장에서는 '왜 잘 알지도 못하는 사람에게 친한 척하는 거지?'하고 이상하게 생각할 수 있습니다. 여자는 신입 직원이 들어왔을 때 그 사람이 어떤 사람인지 알기 전까지는 조금 경계하기 때문입니다. 특히 예쁜 여자 신입 직원이 들어왔을 때는 '저 신입이 선배들의 관심을 독차지하면 어떡하지'하고 걱정하기도 합니다. 이렇게 경계하면서 서먹서먹하게 지내고 있는 것을 남자 동료들은 이해하지 못합니다.

텃세가 없기 때문에 남초 회사에서는 부서 이동하는 것이 전혀 부담이 되지 않습니다. 다른 부서 사람들이 텃세를 부리지는 않을지, 또는 나만 따돌리지 않을지 걱정할 필요가 없습니다. 그 부서에서 가용 인력이 부족했다면 내가 영입된 것을 오히려 고맙게 생각할 것입니다. 또는 새로운 들어온 인원에게 별로 관심이 없을 수도 있습니다.

5. 내 사생활에 관심이 없다.

여자들은 남이 뭘 하는지, 어디에 가는지, 누구를 만나는지 궁금해 하고 물어봅니다. 말과 행동에 의도를 숨기는 것을 좋아하기 때문에 그런 행동으로 상대방에게 친근함을 전하려고 합니다. 이는 앞서서 말한 '돌보려고 하는 본성'과 관련되어 있습니다. 하지만 남자들은 남의 사생활에는 관심이 없습니다. '자신만 건사하려고 하는 본성'때문입니다. 그래서 본인과 관련된 것이 아니라면 굳이 당신에게 질문을 하지 않습니다. 애인이나 남편이 내가 어디에서 누구를 만나는지 어디를 가는지 뭘 하는지 관심이 없어서 속상한 적이 있을 겁니다. 그것은 당신에 대한 애정이 없어서가 아니라 원래 남자는 그렇습니다.

남초 회사에서는 불필요하게 사생활에 대해서 말할 필요가 없습니다. 묻는 사람이 드물기 때문입니다. 당신도 묻지 않는 이상 자세하게 이야기하지 마세요. 비밀이 있다는 것은 내 생활에 자유가 보장되어 있다는 것입니다.

만약 당신의 사생활에 대해 지나치게 묻는 남자가 있다면 의심해봐야 합니다. 스토커가 아닌지를 말이죠.

제3장

남자 동료 다루는 방법

송송송송송우

앞에서 말했듯이 남자는 여자와 달리 복잡한 사고를 하지 않고 단순하기 때문에 몇 가지만 알면 다루기가 무척 쉽습니다. 하지만 대부분의 여자들이 이 몇 가지를 무시하거나 몰라서 남자 동료들과의 불필요한 트러블을 만듭니다. 지금부터 설명하는 사항들을 잘 기억하여 남초 회사에서 편안한 직장 생활을 누려봅시다.

참 쉽죠?

1. 남자에 대한 환상을 버린다.

　여자라면 누구나 작든 크든 남자에 대한 환상이 있습니다. 특히 여중과 여고를 거쳐 여대, 또는 여초 학과를 나온 여자들은 아주 큰 환상을 가지고 있죠. 남자들은 여자가 힘들어하면 알아서 도와줄 것 같고, 여자가 하는 행동은 뭐든지 이해해 줄 거라는 환상 말입니다. 이런 환상은 대부분 여자 작가가 쓴 드라마에서 만든 것입니다.

　환상을 과감히 버리십시오. 남자도 힘든 건 하기 싫고 어두운 곳은 무섭고 귀찮게 하면 짜증나고 감정이 상하면 삐치는, 나와 똑같은 인간일 뿐입니다. 나와 같은 인간인 것을 인정하면 남자에게 기대할 것도, 실망할 일도 없어집니다. 물론 학습과 훈련에 의해서 여자의 환상에 맞게 행동하는 남자도 있긴 합니다. 그러나 정신과 육체가 지칠 때는 학습과 훈련에 의한 모습은 없어지고 본성에 의한 모습이 나온다는 것을 기억합시다. 본성에 의한 모습이 나온다고 해서 실망하지는 맙시다. 당신도 그렇잖아요?

머릿속의 왕자님을 지웁시다!

2. 도와달라고 할 때만 도와준다.

여자의 세계에서는 동료가 힘들어하는 기색을 보이면 눈치껏 도와주는 것이 아주 센스 있는 행동입니다. 하지만 남자의 세계에서는 남의 도움을 받는 것이 매우 자존심 상하는 일입니다. 혼자 끙끙거리고 있는 것이 보여도 "도와주세요" 이 다섯 자의 말이 정확하게 나오기 전에는 절대 도와주어서는 안 됩니다. 만약 도와달라고 하기 전에 나서서 도와준다면 내 시간은 시간대로 뺏기고 도움을 받는 사람도 별로 고마워하지 않는 상황이 발생합니다.

심리적으로 힘들 때도 남자는 도움을 받지 않고 혼자 해결하고 싶어 합니다. 남자는 대화를 하지 않거나 잠수를 타는 등 '동굴 속으로 들어가는' 행동을 보입니다. 여자는 심리적으로 힘들 때 타인의 공감과 보살핌을 받고 싶어 하기 때문에 이런 행동을 이해하지 못합니다. 그래서 옆에서 위로를 하거나 함께 해결하자면서 다가가면 남자는 고마워하기는커녕 오히려 다가오지 말라며 짜증을 낼 겁니다. 당신은 도와주려고 한 것인데 짜증을 들으면 기분이 상하겠죠.

남자의 습성을 안다면 불필요한 행동으로 기분 상하는 일도 없을 것입니다. 남자는 어느 정도 시간이 지나면 스스로 동굴에서 나옵니다. 그때까지 기다려야 하며 동굴에서 나왔을 때는 '너 왜 그랬어' 하고 이유를 묻거나 위로하지 말고 아무 일 없다는 듯 평소와 같이 대하면 됩니다. 이유를 묻거나 위로하면 힘들어했던 자신의 모습이 들킨 것이 창피해서 또 짜증을 낼지 모릅니다. 하지만 동굴에서 나와서 도움을 요청하면 그 때는 적극적으로 도와줍니다.

3. '고맙다', '미안하다'는 말을 하지 않아도 서운해하지 않는다.

계속 말하듯이 남자의 세계에서는 도움을 받는 것이

자존심 상하는 일입니다. 자존심도 상하는데 '고맙다'라고까지 말할 수는 없습니다. 남자 동료가 요청하는 자료를 만들어줬는데 고맙다는 말도 없이 자신의 회의자료에 넣어서 자신이 만든 것처럼 발표하는 것을 보았습니다. 회의가 끝나고 '왜 고맙다는 말도 없이 회의자료로 썼냐'며 그 동료에게 화를 냈습니다. 그 동료는 '고마웠다'고 짧게 한 마디 했고 저는 속 좁은 사람이 되어 있었습니다. '고맙다'는 말을 하지 못하는 남자의 습성을 알았다면 그런 미숙한 모습은 보이지 않았을 텐데 부끄러워집니다.

또한 '미안하다'는 말도 남자의 세계에서는 금기어입니다. 내가 잘못한 것을 인정하는 것이기 때문입니다. 그러나 굳이 금기어라고 해서 하지 않는다기 보다는 지금의 상황이 고마운 상황인지, 미안한 상황인지 관심이 없을 수도 있습니다. 또는 남자의 언어적 능력이 여자보다 부족하기 때문에 그 순간의 상황에 맞는 말을 하기 어렵기 때문일 수도 있습니다. 따라서 남자에게 '고맙다' 또는 '미안하다'는 말을 듣지 못해도 서운해 하지 맙시다. 원래 그런 말을 못하는 것뿐입니다. '마음속으로는 고마워하고 있겠지'하고 넘어가면 됩니다.

4. 요청을 할 때는 명확하게 한다.

　남자의 세계에서는 도움을 받는 것이 매우 자존심 상하는 일이라고 했죠. 그래서 남자동료는 당신이 곤란해 하는 것을 보고도 일부러 도와주지 않을 수도 있습니다. 남자는 선천적으로 타인을 돌보는 기질이 없으므로 당신의 상황에 관심이 없거나 알아채지 못할 수도 있습니다. "내가 이렇게 힘들어하고 있는데 도와주지도 않네. 나를 미워하나?"라고 생각하는 것은 남자의 기질을 모르는 당신 혼자만의 착각입니다. 그냥 당신의 상황에 관심이 없을 뿐입니다. 남자 동료로부터 도움을 받고 싶다면 정확하고 구체적으로 "이것을 해야 하는데 이렇게 좀 도와주세요."하고 도움을 요청하세요. 그러면 도와주지 않을 사람은 없습니다.

　카피라이팅 기법에 관한 '스틱Stick('달라붙는다'는 뜻)'이라는 책에 실려있는 재미있는 연구 결과가 있어서 소개합니다. 100명의 피실험자를 모아놓고 절반은 연구팀이 제시하는 노래의 멜로디를 손가락으로 테이블에 치게 하고 절반은 그것을 듣고 맞추게 했습니다. 연구팀이 제시한 노래는 어려운 노래가 아니었습니다. 우리나라로 치면 '산토끼'나 '학교종' 같이 국민이라면 누구나 아는 동요였지요. 손가락으로 멜로디를 친 집단은 그것을 들은 피실험자의 절반은 무슨 노래인지 맞출거라고 예상했습니다. 하지만 결과는 어땠을까요? 정답률은 단 3%였습니다. 손가락으로 멜로디를 치는 사람에게는 익숙한 멜로디가 머릿속에 들렸겠지만 문제를 맞춰야 하는 사람에게는 테이블을 두드리는 둔탁한 소리만 들렸기 때문입니다. 당연한 결과입니다.

이렇게 당연한 것을 정작 우리가 의사소통을 할 때는 간과합니다. 우리는 대부분 테이블을 두드리는 사람처럼 의사소통을 합니다. 내가 말하지 않아도 나의 의도를 상대가 알아차릴 것이라고 멋대로 단정 짓고 정확하게 말로 표현하지 않는 것이죠. 하지만 타인의 마음은 누구에게나 깊은 어둠 속처럼 보이지 않습니다. "꼭 말을 해야 아나?"하고 답답해하지 마세요. 당신은 독심술을 쓸 줄 아나요? 텔레파시는요?

이 분 같은 초능력이 없다면 말을 해야 압니다.

제4장

남초 회사에서 살아남는 법

ↂↂↂↂↂↂ

여기까지 읽었다면 남자에 대한 이해가 조금은 넓어졌다고 생각합니다. 이제 남자에 대한 이해를 바탕으로 여자로서 남초 회사에서 살아남을 수 있는 법을 알아봅시다.

1. '감정'은 집에 놔두고 온다

전래동화 '토끼와 거북이'에서 토끼는 '간을 집에 놔두고 왔다'고 거짓말을 해서 용궁에 끌려갈 위기를 모면합니다. 남초 회사에 다니는 당신도 그래야 합니다. 출근할 때 출입 카드를 찍는 순간 '감정'을 집에 놔두고 왔다고 생각하세요. 앞서서 남자들은 사고방식이 단순하다고 말했습니다. 따라서 여자들이 울거나 삐치는 등 감정적으로 행동할 때 왜 그런 행동을 하는지 숨은 의도를 찾지 않습니다. 그냥 '예민하고 성깔 있는 여자'로 낙인찍어서 피할 뿐입니다. 그렇게 되면 계속 회사 생활을 해야 하는 당신만 손해입니다.

여자는 남을 돌보는 본성을 타고났으므로 누군가 울고 있을 때는 그 사람이 진정될 때까지 돌봐 줍니다. 그러나 남자의 세계에서는 가족과 사별하는 일과 같이 정말 슬픈 일로 우는 것이 아닌 이상 우는 것은 놀림의 대상이 됩니다. 따라서 남자는 우는 사람을 놀리는 것 외에 어떻게 대해야 하는지 알지 못합니다. 남자가 남자의 세계에서 하듯이 우는 여자를 놀리는 것은 그 사람이 우스워서가 아니라 그 상황에서 어떻게 대처해야 하는지를 몰라서입니다.

아들과 딸을 모두 키우고 있는 선배 한 분이 이런

말씀을 하셨습니다.

"아들은 밀쳐서 넘어뜨려도 떼굴떼굴 굴러서 다시 오는데 딸은 실수로 살짝 밀어도 울어서 어떻게 대해야 할지 모르겠어."

우는 여자 옆에서 "괜찮아? 미안해." 하고 잠시 토닥여주기만 하면 된다는 것을 모르는 것입니다. 남자는 분석능력을 관장하는 우뇌가 발달하여 따뜻한 위로보다 비싼 선물이 더 가치 있다고 생각합니다. 객관적인 가치로 보면 그것은 맞는 말입니다. 그러나 여자의 뇌는 남자의 뇌보다 신경세포가 많아서 감각적이며 감수성이 예민합니다. 그래서 비싼 선물보다 따뜻한 위로가 더 가치 있다고 생각합니다. 남자는 그런 여자의 가치 판단 방식을 이해하지 못합니다. 그러므로 남초 회사에는 절대 감정적인 행동은 하지 마시길 바랍니다. 아무도 나를 돌봐 주지 않습니다.

잠깐 회사 갔다 올게.

2. 힘든 일도 내가 나서서 한다.

만약 무거운 짐을 당신이 드는 것을 본다면 주변의 남자 동료들이 나서서 도와줄 것입니다. 그러나 아무것도 하지 않고 가만히 있으면서 당연하다는 듯이 남자들이 들어주기를 바란다면 남자들도 그런 행동이 얌체 같다고 느낄 것입니다. 남자도 당신과 같은 사람이기 때문이죠. 힘든 일도 당신이 나서서 하겠다고 하면 사회화가 잘 된 남자들은 도와줍니다. 만약 도와주지 않는다면 남자들이 당신이 힘든 일을 할 수 있을 정도로 튼튼한 사람이라 여기는 것입니다. 오히려 잘 된 일입니다.

정말로 내가 하기 힘든 일이라면 남자 동료가 도움을 주기 원하는 일을 명확하게 요청하면 됩니다. 앞에서 말했지만 명확하게 요청하면 도와주지 않을 남자는 없습니다.

무겁지만 들어볼까요?

3. 회사에 '아빠'는 없다는 것을 명심한다.

　회사에는 당신의 부모님과 나이가 비슷한 부장 급의 남자 직원이 있을 겁니다. 제가 다니는 회사에도 장기 근속한 남자 직원들이 많습니다. 사회 초년생일 때 그 분들에게 도움을 많이 받았습니다. 대신 업무 처리를 해주시기도 했고 제가 실수해도 그냥 넘겨주시기도 했습니다. 저도 그 분들을 좋은 선배님으로서 믿고 따랐습니다. 함께 회식을 하기도 했고 생일을 챙겨 드리기도 했습니다.

　그런데 어느 날 그 분들 중 몇몇 분에게서 전화가 오기 시작했습니다. 그것도 밤 늦은 시간에요. 전화를 받아보니 술에 취한 목소리였습니다. 저의 안부를 묻는다는 핑계였지만 술을 먹고 밤늦게 여자에게 전화를 한다는 것은 저를 동료로 보지 않는다는 뜻입니다. 술에 취하면 본성을 누르는 이성의 힘이 약해지니까요. 저를 동료로 봤다면 맨정신에 회사 전화로 안부를 물었겠지요.

　또한 사석에서 따로 만나자고 문자를 보내시는 분들도 있었습니다. 회사에서는 '좋은 선배'의 가면을 쓰고 저를 대했는데 사실 그게 아니었던 겁니다. 그런 경우에는 절대 사적으로 만나서는 안됩니다. 남자는 그것을

'암묵적 동의'로 생각합니다. 불필요한 오해가 생길 수 있으니 답장도 하지 마세요. 남자들은 사고방식이 단순하기 때문에 당신이 답장을 하지 않으면 거기에 숨은 의미를 짐작하지 않고 그대로 거절의 의미로 받아들입니다.

회사에 '아빠'는 없습니다. 그리고 나를 '딸'로 생각하는 사람도 없습니다. 꼭 기억하세요.

4. 보고할 때는 수치로 이야기한다.

'굉장히', '열심히' 등 수치적으로 측정할 수 없는 수식어는 보고할 때 쓰지 않습니다. 전문성도 없게 보입니다. 특히 남자들은 상대방의 말에 담긴 의도를 짐작하지 않습니다. 그러므로 남자 상사에게 보고할 때는 꼭 수치를 이용하여 보고하도록 합니다. 수치로 이야기하면 전문성도 있어 보이고 보고를 받은 입장에서도 내용을 파악하기가 쉽습니다.

예를 들면 이런 것입니다.

"매출이 굉장히 증가할 것입니다." (X)
"매출이 10% 이상 신장할 것으로 예상됩니다." (O)

"이번 프로젝트에서 열심히 해보겠습니다." (X)
"이번 프로젝트는 매출이 10% 이상 증가하게 하는 것이 목표입니다." (O)

수치 자료를 표나 그래프로 표시하면 알아보기도 쉽고 전문성 있게 보입니다.

숫자로 말해요.

5. 동료에게 약점을 보이지 않는다.

집안 형편이 어려워서 혼자의 힘으로 꿋꿋이 살아왔다고 하면 동료들이 당신을 대단하게 여길 것 같지만 사실 그렇지 않습니다. 당신의 어려웠던 과거를 오히려 약점으로 삼을 뿐입니다. 어려운 환경에서 자란 사람은 사회에 불만이 많고 문제 행동을 할 가능성이 크다는 선입견이 있기 때문입니다. 만일 당신이 일하다 짜증을 낸다면 '어렵게 커서 그런지 까칠하네'라고 생각하면서 당신의 과거를 흠을 잡는 빌미로 삼을 것입니다. 그러므로 아무리 친한 동료라도 과거 힘들었던 일을 이야기하거나 지금 힘든 상황을 이야기하는 것은 금물입니다. 물론 힘든 일을 털어놓는 것은 감정 해소에 도움이 됩니다. 하지만 가족이나 친한 친구에게만 털어놓길 바랍니다. 회사에서는 약점을 절대 보이지 마세요.

약점을 보이는 순간 물어뜯을지 모르니까요.

6. 술을 잘 마시는 모습을 보이지 않는다.

회식자리에서 술을 마실 때 여자 동료가 술을 마시지 않겠다고 하면 술을 잘 못 마신다고 생각하고 더 이상 권하지 않습니다. 남자 동료가 술을 잘 못 마시면 그 동료는 남자 동료들 사이에서 놀림의 대상이 됩니다. 놀림을 받지 않으려고 이기지도 못하는 술을 억지로 먹고 괴로워하는 남자 동료를 몇 번 본 적이 있습니다. 무슨 바보 같은 짓인지 모르겠습니다.

여자 동료들 중에서도 술을 잘 마시는 사람이 있긴 합니다. 남중 · 남고 · 공대 · 군대를 거쳐 남초 회사를 다니는 남자들은 여자는 술을 잘 못 마신다는 환상이 있기 때문에 술을 잘 마시면 그 모습이 신기해서 계속 권합니다. 따라서 사석에서는 술을 잘 마시더라도 회식자리에서 술을 잘 마시는 모습은 절대 보이지 마시기 바랍니다. 어떤 남자 직원들은 술을 잘 못하는 남자 동료를 놀리기 위해서 술을 잘 마시는 여자 동료와 주량 대결을 시키기도 합니다. 주량으로 대결을 하는 것은 바보 같은 짓입니다. 숙취 때문에 다음 날 업무에 지장이 있는 것은 둘째 치더라도 나의 건강에 좋을 것이 하나도 없기 때문입니다. 술을 잘 마시는 것은 절대 자랑이 아닙니다.

다른 건 자랑해도 괜찮아^^

7. '서열'을 이해한다.

　　요즘 회사에서는 선배가 군기를 잡는다든가 후배 의견을 무시하고 하대를 하는 등의 강력한 상명하복 문화는 사라졌지만 그럼에도 불구하고 여자들의 관계에 비해 남자들의 관계는 상하수직적 구조가 강합니다. 여자들은 열 살 많은 사람에게도 반말을 하며 스스럼없이 지냅니다. 타인과 가족처럼 친밀하게 지내는 것을 좋아하기 때문입니다. 그래서인지 여자들은 '선후배'의 개념이 약합니다. 하지만 남자는 '군대'라는 서열 사회에서 지낸 경험이 사회생활에도 영향을 미칩니다. 그래서 한 살만 많아도 '형님'으로 모십니다.

여사원이 선배와 스스럼없이 지내도 남자 선배들은 봐줍니다. 앞에서 말했듯이 남자들은 여자의 실수를 봐주는 경향이 있기 때문입니다. 하지만 업무적인 일이라면 다릅니다. 남자들은 논리를 관장하는 우뇌가 발달하여 공과 사를 여자에 비해 더욱 명확히 구분하기 때문입니다. 회사 선배와 사석에서는 친밀하다가 업무적인 자리에서 진지하게 대하는 것이 어색하다면 훈련이 될 때까지 사석에서도 아예 친밀하게 지내지 않는 것이 회사 생활에 도움이 됩니다.

여자들은 언어적 능력이 발달하여 이치를 따지는 것을 잘 합니다. 그러나 선배가 지시하는 일에 대해서는 되도록 이치를 따지지 않도록 합니다. 물론 내가 생각하기에 이치에 맞지 않는 것이 있을 것입니다. 그렇더라도 일단 이치를 따지지 말고 지시받은 업무를 합시다. 그런 업무를 지시하는 데는 이유가 있습니다. 선배들의 경험을 존중합시다.

8. 여성성을 이용한다.

앞서 여성성 때문에 남초 회사에서의 생활이 불편하다고 했는데 여성성을 이용하라니, 무슨 말일까요? 여기서 말하는 여성성은 신체적 여성성이 아닌 인격적 여성성을 말합니다. 사람마다 다르겠지만 여자는 남자보다는 친절하고 세심합니다. 바로 이런 여성 특유의 친절함과 세심함을 남자 동료들에게는 없는 나만의 무기로 사용하라는 말입니다.

상대방에게 없는 무기를 무기로 사용하는 것이 좀 비겁하게 느껴집니다. 하지만 군사 용어 중에도 '적군이 가지고 있지 않은 무기를 이용한 전투'를 뜻하는 '비대칭전 Asymmetric Warfare'이라는 용어가 있습니다. 적군이 똑같이 대응할 수 없으니 당연히 아군이 유리합니다. 회사생활도 전쟁과 같습니다. 회사에서 살아남기 위해서는 내가 가지고 있는 무기를 모두 사용해야 합니다.

다만 업무를 떠넘기거나 책임을 회피할 때 무기로 쓰라는 말이 아닙니다. 동료들과 협업할 때 친절함을, 보고자료를 만들 때 세심함을 무기로 사용하면 남자 동료들보다 더 뛰어난 업무 실적을 거둘 수 있다는 말입니다. 또한 작은 일이라도 칭찬을 해주면 남자 동료의 지지를 얻기가 쉬워집니다. 남자는 칭찬을 들으면 내색은 하지 않지만 마음속으로 매우 기뻐합니다. 여자의 세계에서는 친해지기 위해서 작은 칭찬을 자주 하지만 남자들의 세계에서는 그런 일이 좀처럼 없기 때문입니다. 남자 동료가 스포츠에 대해 이야기할 때 아주 조금 아는 척을 하는 것도 지지를 얻을 수 있는 좋은 방법입니다. 그렇게 하기 위해서는 스포츠에 전혀 관심이 없더라도 스포츠 뉴스를 하루 약 1분 정도 시청하는 것이 도움이 됩니다.

스포츠 뉴스를 보기 싫다면 동료의 가족관계나 개인 생활에 대한 이야기를 외워 뒀다가 물어보는 것도 남자 동료의 지지를 얻는데 도움이 됩니다. 예를 들어 아이가 있는 동료라면 "OO(아이의 이름)이는 잘 크고 있나요?"라고 아이의 안부를 묻거나, 멀리 지방에 다녀온 동료가 있다면 "전에 OO시에 다녀오신 일은 어떻게 됐나요?"하고 말입니다. 남자는 개인적인 것을 물어도 부담스러워 하거나 왜 묻는지 의심하지 않습니다. 사고방식이 단순해서 '질문을 받았으니 대답해야겠다'라고만 생각합니다. 그리고 관심을 받았다는 것을 기쁘게 생각할 뿐입니다.

여자와 남자가 조화롭게 지내는 것은 이런 것입니다. 거창한 것이 결코 아닙니다.

제5장

남초 회사에서 나의 가치를 높이는 특급 전략

❀❀❀❀❀❀

남초 회사에서 여성은 눈에 띄기 때문에 조금만 잘해도 인정을 받기 쉽습니다. 그렇다고 해서 내 자신의 가치를 높이기 위한 노력을 소홀히 해서는 안 됩니다. 어떻게 해야 나의 가치가 높아질까요?

1. 다른 부서의 업무도 파악한다.

　회사를 다니다 보면 다른 부서와 협업할 일도 있고 회의를 해야 하는 상황도 있습니다. 다른 부서의 업무까지 미리 파악해 놓으면 이럴 때 당신이 유리한 상황에서 협상을 할 수 있습니다. 그리고 당신이 다른 부서의 업무를 잘 파악하고 있다는 것을 알면 협업하는 동료들이 당신을 속일 수 없게 됩니다. 책임을 당신에게 전가하거나 과도하게 업무를 떠넘길 수 없겠죠. 전쟁에서 사용하는 전술에 대한 내용을 기록한 '손자병법'이라는 책을 보면 '적을 알고 나를 알면 백 번을 싸워도 위태롭지 않다(지피지기백전불태知彼知己百戰不殆)'라는 말이 나옵니다. 회사에서도 유효한 말입니다. 다른 부서의 업무를 파악해두면 협업할 때 유리한 입장에 서게 됩니다.

이 분의 말씀은 지금도 통한다.

2. 나에게만 업무가 몰려도 억울해하지 않는다.

리더가 시키는 일 중에는 꼭 내가 하지 않아도 될 것 같은 일이 있습니다. 더 잘하는 사람이 있는 것 같은데 왜 나에게 시킬까요? 그것은 리더가 나의 업무 태도에 신뢰를 가지고 있다는 뜻입니다. 결과물이 좋아서일 수도 있지만 마감시간을 잘 지키거나 동료들과 협업을 잘 한다는 등의 이유로도 업무를 준다는 것이지요. 동료들은 한가한 것 같은데 나에게만 업무가 몰리는 것같이 보이면 같은 월급 받고 나만 바쁜 것이 좀 억울한 생각이 듭니다. 하지만 내가 그만큼 리더에게 신뢰를 얻고 있다는 뜻이니 너무 억울해하지 말고 자부심을 가지길 바랍니다. 나에게 업무가 몰리는 것은 행복한 일입니다. 그것을 부러워하는 동료가 있기도 합니다.

나는 행복하다..

3. 전화가 오면 '나에게 기회가 왔다'고 생각한다.

업무 때문에 바쁜데 전화가 오면 당연히 짜증이 납니다. 상대의 반응을 보지 못하고 대답해야 하는 전화 통화의 특성상 말이 거칠게 나가기도 합니다. 하지만 당신이 전화 통화하는 내용은 주변의 모든 동료들이 듣고 있다는 것을 명심해야 합니다. 따라서 감정적으로 반응하기 보다는 최대한 이성적으로, 그리고 전문 용어를 쓰면서도 친절한 태도로 통화를 합니다. 그러면 짜증나는 전화 통화는 동료들에게 나의 유능함을 알리는 기회로 바뀌게 됩니다. 당신 앞에서 '유능하다'고 칭찬하지는 않겠지만 마음속으로 다들 생각하고 있습니다.

기회야, 와라!

4. 상대방의 말을 끝까지 듣고 대답한다.

남초 회사에서 여자는 최대한 말을 적게 하면 좋은 평판을 받습니다. 말을 많이 하거나 상대의 말을 끝까지 듣지 않고 중간에 말을 끊고 말하면 남자들은 그 때의 상황이나 말의 내용과는 상관없이 당신을 '기 센 여자'로 낙인찍고 피하려 할 것입니다.

하지만 정작 남자들은 상대방의 말이 다 끝나기도 전에 끼어드는 경우가 많습니다. 상대방이 묻는 것과 전혀 다른 답변을 하기도 합니다. 남자는 사고방식이 단순하기 때문에 상대방의 말을 듣는 것과 자기가 할 말을 생각하는 것, 이렇게 두 가지 일을 동시에 하기가 어렵기 때문입니다. 대부분은 자기가 할 말을 생각하는 것 하나만 합니다. 그러므로 남초 회사에서 상대방의 말을 끝까지 듣는다면 그것 자체로 돋보일 수 있을 것입니다. 내가 할 말을 못하는 것이 지는 것이라고 생각하지 마세요. 상대방의 말을 듣고 있는 동안에 내 생각을 정리할 수 있고 불필요한 말을 하지 않을 수 있게 되어 오히려 나에게 유리해집니다.

5. 무시 못하는 실력을 키운다.

지금의 조직에서 꼭 필요하지 않은 스킬이라도 배워두면 나에게 오는 기회도 많아집니다. 그리고 그 기회들을 잡아서 업무를 해 나가다 보면 그것은 자신의 실력으로 쌓이게 됩니다. 또한 업무와 관련된 자격증이나 학위를 취득해 놓으면 그것은 당신의 실력을 객관적으로 증명하는 좋은 수단이 됩니다.

저는 제가 소속된 부서에서는 사용하지 않았던 캐드(CAD, 컴퓨터 제도) 프로그램을 개인적으로 익혀 왔습니다. 당장 사용할 일이 없었지만 제조업에서 널리 사용되고 있는 프로그램이었기 때문에 배워두면 이직할 때도 유리할 거라 생각해서 공부를 계속 해 나갔고, 자격증도 땄습니다. 어느 날 외주를 준 회사에서 그 프로그램을 이용하여 설계 결과를 보내왔고 검토할 사람은 그 프로그램을 사용할 줄 아는 저 혼자 밖에 없었습니다. 업무에서 필요 없었던 능력이 단숨에 가장 필요한 능력으로 바뀌는 순간이었습니다.

동료들이 무시 못 하는 실력을 키우십시오. 그러면 당신은 여자라는 것과 상관없이 회사에서 항상 필요한 사람이 됩니다.

6. 선배들이 항상 지켜보고 있다는 것을 명심한다.

매일 1, 2분씩 지각을 하는 후배가 있습니다. 선배들이 모를 거라고 생각합니다. 왜냐하면 소리가 안 나게 살짝 앉았고 선배들이 아무도 쳐다보지 않았기 때문입니다. 하지만 선배들은 다 보고 있습니다. 살금살금 들어와서 컴퓨터를 켜는 모습을 옆눈으로 다 보고 있습니다. 선배를 바보로 보지 마세요. 선배들은 사회 경험이 많기 때문에 작은 정황만 봐도 어떤 상황인지를 금방 알 수 있습니다. 당신이 업무시간에 핸드폰을 보거나 커피를 마시기 위해 자리를 비우거나, 동료들과 수다를 떨 때도 다 지켜보고 있습니다. 다만 직접적으로 당신에게 말을 하지 않을 뿐입니다. 요즘은 후배의 군기를 잡는 문화가 없고, 매일 얼굴을 봐야 하는데 불편한 일이 생기는 것이 싫어서입니다.

하지만 결정적인 순간에 그동안 봐왔던 당신의 모습은 평가의 지표로 사용됩니다. 예를 들어 인사 고과에서 최하위점을 꼭 줘야한다는 회사의 지시가 있다든지 부서에서 방출할 사람을 결정해야 된다든지 하는 경우 말입니다. 그 때는 후회해도 소용없습니다. 따라서 회사 내에서의 태도를 항상 신경 쓰기 바랍니다. 주변에 아무도 없더라도 어디에선가 다 지켜보고 있습니다.

7. 무조건 해보겠다고 한다.

만약 리더가 업무를 시킬 때 나의 의사를 묻는다면 무조건 '해보겠다'고 합니다. 가끔 지시받은 업무 중에는 내가 하는 업무와 별로 관련이 없어서 '내가 왜 이런 걸 해야 하지' 하는 생각이 들게 만드는 업무도 있습니다. 하지만 여러 가지 업무를 해볼 기회를 놓치지 않고 하나씩 해나가다 보면 그것은 결국 나의 실력이 됩니다. 이렇게 실력을 쌓아놓으면 다른 부서로 방출된다든지 정리해고를 당한다든지 하는 만약의 사태에 대비할 수 있습니다. 부서를 이동하거나 이직하고 싶을 때도 유용하고요. 이처럼 여러 가지 업무를 해보는 것은 여러모로 나에게 유리합니다. 지금 당장 몸은 힘들지 몰라도 그 고통은 금방 잊히고 실력만 남습니다.

좋은 예가 있어서 소개합니다. 걸그룹 '뉴진스'가 소속되어 있는 기획사 '어도어Ador'의 창업주이자 대표인 민희진 님은 처음에는 SM에 아트 디렉터로 입사하여 아이돌의 시각적 콘셉트를 기획하는 일을 했었습니다. 그런데 뮤직비디오 촬영장에서 자신이 만들어 놓은 콘셉트대로 영상 촬영이 잘 안되자 본인이 직접 촬영하기 시작했다고 합니다. 그것이 엔터테인먼트 회사를 직접 창업할 수 있는 정도의 경험과 실력이 된 것입니다. 실력을 인정받아 재직 중이던 '하이브'에서 거액의 투자도 받았습니다. 뮤직비디오 촬영이 본인의 업무가 아니라며 하지 않았다면 투자도 없었을 것이며 지금의 '뉴진스'도 없었을 것입니다.

귀염둥이들을 만들어 주셔서 감사합니다.

8. 대충 해야 하는 일과 제대로 해야 하는 일을 구분한다.

오늘 아침에 출근하니 부서 리더가 나와 남자 동료에게 동시에 업무 진행 현황 자료를 만들어서 달라고 했습니다. 내 자료를 만들면서 남자 동료가 만든 자료를 슬쩍 봅니다. 남자 동료가 만든 자료는 내용도 엉성하고 서식도 맞지 않습니다. 참고 사진도 첨부하지 않았습니다. 남자 동료는 10분 만에 만들어서 리더에게 보고합니다. 리더는 자료를 보고 별다른 말을 하지 않습니다. 나는 리더에게 올리는 자료이기 때문에 글자체와 어투, 참고 사진까지 신경 써서 세 시간 동안 자료를 만들었습니다. 그런데 자료를 제출하러 갔더니 리더는 자료를 보지도 않고 화를 냅니다. 왜 화를 내셨을까요? 그것은 리더가 아침 회의에서 자신보다 더 상위 직책에 있는 분에게 보고할 때 쓸 자료였기 때문입니다. 물론 자료의 사용 목적을 말하지 않은 리더에게도 잘못이 있지만 질문을 하지 않은 당신의 잘못도 있습니다.

업무 지시를 받을 때는 언제까지 해야 하는지 꼭 물어보도록 합시다. '최대한 빨리' 등으로 애매하게 대답하셔서 잘 모르겠다면 날짜로 찍어달라고 합시다. 남자는 숫자로 이야기하는 것을 좋아하므로 날짜를 물어보면 정확한 답을 들을 수 있습니다. 하려고 마음먹으면 끝이 없고 하지 않으려고 하면 할 게 없는 것이 회사 일입니다. 업무를 너무 잘하려고 하면 업무의 진행에 지장을 줄 수 있습니다. 그러므로 업무는 데드라인 날짜까지 마무리할 수 있을 수준으로 하면 됩니다. 앞서 말했듯이 남자들은 우뇌가 발달하여 공간 지각 능력이 뛰어납니다. 따라서 디테일한 것보다는 전체적인 것을 보는 편입니다. 그러나 여자들은 전체적인 것보다는 부분적인 것을 예리하게 보는 경향이 있기 때문에 디테일한 것에 신경을 씁니다. 글씨체, 이미지, 색상 등이 그런 디테일한 요소들이죠. 하지만 남자들은 디테일하게 자료를 만들었다고 해도 눈치 채지 못합니다. 특히 현재 부서 리더급의 지위에 있는 중년의 남자 직원들은 더 그렇습니다. 따라서 남초 회사에서 업무 자료를 만들 때는 시간과 노력을 너무 많이 들이지 말고 숫자와 도표만을 사용하여 최대한 간결하게 만듭시다. 물론 고객사에 전달해야 하는 자료는 디테일한 사항을 모두 고려하여 만들어야 합니다. 고객사는 여러 회사의 자료를 비교해서 볼 수 있으며, 그럴 때는 디테일이 중요한 차별화 요소로 작용합니다. 하지만 회사 내부에서만 사용할 자료라면 그렇게까지 디테일에 신경 쓰지 않아도 됩니다.

신입사원 시절 발표 자료를 만들면서 좀더 눈에 잘 띄게 하고 싶어 글자에 여러 가지 색깔을 입혔습니다. 빨강색, 주황색, 초록색, 파란색 등등 제 딴에는 보고서를 잘 알아보실 수 있도록 하겠다는 생각에 열심히 글자색을 수정했습니다. 그런데 그 자료를 보신 부서 리더님께서 저를 한심하게 쳐다보시며 말씀하셨습니다.

"발표 자료가 아니라 무당 점집이로구만."

나의 시수는 안드로메다로..

만약 정말로 디테일한 것이 신경 쓰여 시간이 조금 더 걸린다면 업무를 지시한 분에게 사유를 보고하도록 합시다. 그것이 꼭 필요한 작업이라면 완료 기한을 조금 연장하는 편의를 봐주실 것입니다. 그게 아니라면 필요 없다고 하시며 업무를 완료하라고 하실 것입니다. 이런 식으로 빠르게 보고하고 피드백 받는 것을 습관화합시다. 그러면 '신속하게 업무 처리를 잘하는 사람'이라는 좋은 평판을 받게 됩니다.

여러 가지 업무가 주어졌다면 업무의 순서를 어떻게 정해야 할까요? 정답은 '업무에 걸리는 시간이 짧은 순서대로 한다'입니다. 이것은 '산업공학 개론'에도 나오는 이론입니다. 빨리 끝낼 수 있는 업무부터 처리하면 남아 있는 일에 걸리는 시간과 상관 없이 일단 업무 진행도가 빠르게 높아지기 때문입니다. 그리고 빨리 끝낼 수 있는 업무를 여러 개 수행하다 보면 그것이 연습과 훈련이 되어서 시간이 많이 걸리는 업무도 예상보다 빨리 끝낼 수 있기 때문입니다.

9. 남의 탓을 하지 않는다.

식당에서 돈까스를 시켰습니다. 그런데 너무 맛있습니다. 그래서 한 달 동안 매일 그 식당에 찾아가서 돈까스를 먹었고 결국 체중이 10킬로그램이나 불었습니다. 그래서 돈까스를 주문하면서 식당 주인에게 이렇게 말합니다.

"이 집 돈까스가 너무 맛있어서 살이 쪘습니다. 돈까스 좀 맛없게 만들어주세요."

내가 안 사먹으면 그만인 것이지 식당 주인에게 음식을 맛있게 만들어 달라니, 어이가 없지 않나요? 미국의 유명한 동기부여 연설가 토니 라빈스Tony Robbins의 '네 안에 잠든 거인을 깨워라'라는 책에 나오는 이야기를 조금 고쳐서 써봤습니다. 위의 경우가 어이없다면 나의 실수를 남의 탓이라고 돌리는 경우는 어떤가

요? 미국의 억만장자 그랜트 카돈Grant Cardone이 쓴 '10배의 법칙'이라는 책에서는 '돌발적인 사건도 내 탓이다'라는 말이 나옵니다. 갑자기 예상치 못한 사고가 일어난 것 때문에 계획이 틀어진다면 그것도 내 탓이라는 뜻입니다. 그런 상황에서 어떻게 대처해야 하는지 미리 생각해 두어야 한다는 겁니다.

회사, 특히 대기업은 사람이 많고 분업이 되어 있습니다. 그래서 선행 작업과 후행 작업이 명확히 나누어져 있습니다. 선행 작업을 하는 부서 때문에 내 일이 지연되는 일도 종종 발생합니다. 그럴 때 내 업무의 기한을 맞추지 못하는 것에 대해 선행 부서의 탓을 하지 말아야 합니다. 어떻게 해야 내 업무에 지장을 주지 않게 빨리 넘겨받을 수 있는지 함께 상의하고 도울 수 있으면 도와야 합니다. 정 기한 내 넘겨받지 못한다면 현시점에서 완료한 만큼이라도 받아서 지금 진행할 수 있는 것이라도 진행해야 합니다. 부서 리더에게는 업무가 지연되는 것에 어떤 사정이 있는지 사실에 근거하여 보고하도록 합시다. 현명한 리더라면 당신의 노력을 가상히 여겨서 업무 완료 기한을 연장할 수 있는 방법이나 업무에 즉시 투입될 수 있는 인력을 찾아볼 것입니다. 결국 내가 행동함으로써 내 자신이 편해지는 것입니다.

남의 탓이라고 생각하면 남이 해결해줄 때까지 기다려야 하지만 내 탓이라고 생각하면 해결책이 보입니다. 남의 탓을 하는 것은 내가 행동하지 않은 것에 대한 핑계일 뿐입니다.

10. 회사를 인생의 정답으로 생각하지 않는다.

마지막으로 남초 회사에 다니는 당신에게 꼭 해주고 싶은 말이 있습니다. 회사를 인생의 정답으로 생각해서는 안 된다는 것입니다. 회사는 길고 긴 인생의 단기적인 해결책일 뿐입니다. 회사를 내 인생의 전부로 생각하면 동료의 사소한 실수 또는 회사의 작은 처우에도 예민해질 수밖에 없습니다. 이것은 당신의 평판과 개인 생활에도 영향을 줍니다.

사회 초년생은 인맥도 자금도 없기 때문에 남에게 고용된 형태로 일할 수밖에 없습니다. 고용주가 만들어 놓은 인프라를 나의 돈벌이 수단으로 이용할 수밖에 없다는 말이지요. 하지만 꼬박꼬박 나오는 월급과 회사의 복지 정책은 노동자들을 계속 일하게 하기 위해서 고용주가 만들어 놓은 장치일 뿐입니다. 여기에 안주하여 나만의 인프라를 갖추어 놓지 않는다면 정리해고를 당했을 때 생활이 어려워지거나 정년퇴직을 한 이후 노인빈곤층이 될 수 있습니다. 그러므로 언젠가는 회사를 떠나야 한다'는 생각을 항상 가지고 안정적인 월급이 나올 때 회사에 의존하지 않고 천 원이라도 벌어보는 연습을 해야 합니다.

그리고 여성은 남초 회사에서 임원이 될 가능성이 별로 없으므로 임원이 되지 못한다면 회사를 계속 다니는 것보다 퇴사하는 것이 낫습니다. 아무런 직책 없이 나이가 많은 직원은 실무는 상대적으로 적게 하지만 급여는 많이 받으므로 후배 사원도 부담스러워하고 회사 입장에서도 부담스럽기 때문입니다. 요즘 대기업들은 부서 리더를 40대 과장급으로 교체하기도 합니다. 노동자 입장에서 보면 억울하지만 고용주 입장에서 보면 당연한 것입니다. 젊은 리더를 통해 미래의 성장 동력을 만드는 것도 경영자의 역할이기 때문입니다.

회사를 오래 다녀도 월급도 별로 오르지 않고 임원도 되기 힘듭니다. 그런데도 왜 어른들은 꼭 좋은 회사에 취직하라고 할까요? 그것은 부모님이 젊은이였던 시절에는 돈을 벌 수 있는 방법이 한정적이었고, 그 때의 한정적인 직장 중에서는 대기업이 인정도 받고 월급도 많은 선망의 직장이었기 때문입니다. 그 시절에

생긴 고정관념을 자녀들에게 물려주신 것입니다. 하지만 회사의 월급만을 수입원으로 생각하던 시대는 지났습니다. 수익을 창출할 수 있는 수단이 다양해졌고, 인터넷으로 수익활동에 대한 정보를 얼마든지 찾을 수 있는 시대입니다. 옷을 유행에 맞춰 입는 것과 같이, 수익활동도 유행에 맞춰 따라가야 합니다.

스마트스토어, 블로그, 유튜브 등 남들이 하는 것은 다 해봅시다. 아마 지금 시작한다고 하면 주변 사람들이 "그거 한 물 갔어. 돈 못벌어."하고 핀잔을 줄 것입니다. 그런데 그렇게 핀잔을 주는 사람 중에 스마트스토어에서 연매출 1억을 올리거나, 파워 블로거이거나, 유명 유튜버가 있나요? 아마 없을 것입니다. 왜냐하면 그렇지 않기 때문에 지금 당신과 같이 회사를 다니고 있는 것이기 때문입니다. 그러므로 주변 동료들이 하는 말에 연연하지 말고 할 수 있는 것은 다 해봅시다. 이것저것 시도하다 보면 나의 길이 보입니다.

'회사가 내 인생의 전부가 아니다'라고 생각하세요. 그러면 오히려 적극적이고 용기 있게 행동하게 됩니다. 회사 내 입지가 굳어지는 것은 덤입니다.

저는 매일 회사 통근 버스를 타고 출퇴근을 합니다. 어느 겨울날, 퇴근버스에서 내렸는데 흰 눈이 펑펑 오고 있었습니다. 눈을 맞으며 문득 이런 생각이 들었습니다.

'‘버스’는 회사이고 ‘눈송이’들은 나에게 올 수 있는 수많은 기회가 아닐까?'

달리는 버스에 무기력하게 몸을 맡기고 있다면 내가 가고 싶은 방향이 아닌 버스가 가려는 방향으로만 갈 수 있을 것입니다. 그리고 영영 눈을 맞을 수 없을 것입니다.

달리는 버스에서 내려서 내 힘으로 뛰어봅시다!

맺음말

이 책을 읽으면서 '왜 나만 남자의 특성을 알고 배려해야 하지?'하는 생각이 들면서 억울한 생각이 들지 않았나요?

하지만 내가 남을 배려하면 남도 나를 배려한다는 것을 꼭 기억하시기 바랍니다.

다 내가 편하게 사회생활하기 위함입니다.

하지만 분명 몇몇 남자들은 내가 배려를 해주는 데도 나를 배려하지 않을 것입니다. 그런 사람에게도 배려를 해야 할까요? 물론입니다. 그런 사람에게는 더욱 더 아낌없는 배려를 배푸세요. 그리고 그 사람을 보면서 마음속으로 이렇게 생각합니다.

"각자 자신이 가진 것만 남에게 줄 수 있다.

추천 도서

1. 린인 Lean In - 셰릴 샌드버그 Sheryl Sandberg (前 페이스북 최고운영책임자)

2. 역행자 - 자청

3 더 해빙 The Having - 이서윤, 홍주연

4. 파리에서 도시락을 파는 여자 - 켈리최

5. 10배의 법칙 - 그랜트 카돈 Grant Cardone

6. 왜 일하는가 - 이나모리 가즈오 稻盛和夫 (교세라 창업주)

7 김부장 이야기 - 송희구

8. 부의 추월차선 - 엠제이 드마코 MJ DeMarco

9. 언스크립티드 Unscripted - 엠제이 드마코 MJ DeMarco

10. 타이탄의 도구들 - 티모시 페리스 Timothy Ferris

11. 나는 4시간만 일한다 - 티모시 페리스 Timothy Ferris

12. 사업을 한다는 것 - 레이 크록 Ray Kroc (맥도날드 창업주)

13. 부자아빠, 가난한 아빠 - 로버트 기요사키 Robert Kiyosaki

14. 어떻게 말해줘야 할까 - 오은영

15. 화성에서 온 남자, 금성에서 온 여자 - 존 그레이
John Gray